D0755863

roman rouge

Dominique et Compagnie

Sous la direction de

Yvon Brochu

Hélène Vachon

Mon plus proche voisin

Illustrations
Yayo

**Données de catalogage
avant publication (Canada)**

Vachon, Hélène
Mon plus proche voisin
(Roman rouge)
Publ. antérieurement sous le titre :
Le plus proche voisin. Saint-Lambert,
Québec : Héritage, 1995.
Publ. à l'origine dans la coll.
Carrousel.
Pour enfants de 6 ans et plus.

ISBN 2-89512-325-X

I. Yayo. II. Titre. III. Titre : Mon plus
proche voisin.

PS8593.A37P48 2003 jC843'.54 C2002-941793-7
PS9503.A37P48 2003
PZ23.V32Pl 2003

Dépôts légaux : 3e trimestre 2003
Bibliothèque nationale du Québec
Bibliothèque nationale du Canada
Bibliothèque nationale de France

ISBN 2-89512-282-2
Imprimé au Canada

10 9 8 7 6 5 4 3 2 1

Direction de la collection :
Yvon Brochu, R-D création enr.
Direction artistique et
graphisme : Primeau & Barey
Révision-correction : Marie-Thérèse
Duval et Martine Latulippe

Dominique et compagnie
300, rue Arran
Saint-Lambert (Québec) J4R 1K5
Téléphone : (514) 875-0327
Télécopieur : (450) 672-5448
Courriel :
dominiqueetcie@editionsheritage.com
Site Internet :
www.dominiqueetcompagnie.com

Nous remercions le Conseil des Arts du
Canada de l'aide accordée à notre programme de publication, ainsi que la SODEC
et le ministère du Patrimoine canadien.

Gouvernement du Québec –
Programme de crédit d'impôt pour
l'édition de livres – SODEC

Mon père dit toujours que je complique les choses. Moi, je pense que les choses se compliquent très bien toutes seules. Elles n'ont pas besoin de moi pour ça.

Le cours de français, par exemple. Il n'y a rien de simple là-dedans. Mais en général, tout est normal. Monsieur Tréma, le professeur, fait toujours la même chose. Il entre dans la classe et s'assoit à son bureau. Ensuite, pendant au moins une heure, il essaie de simplifier le français.

En général. Mais pas ce matin.

Ce matin, monsieur Tréma est tout essoufflé :

– À vos cahiers, les enfants ! On fait une rédaction ! Décrivez, en dix lignes, votre plus proche voisin.

Vous avez une heure. Un, deux, trois. PARTEZ !

C'est la course !

Je me lève d'un bond, je ramasse mes cahiers, mes crayons…

– Où vas-tu, Somerset ?

– Ben, je PARS.

Monsieur Tréma soupire.

– La rédaction se fait ici, Somerset. Dans la classe.

Je me rassois et je regarde les autres. Tous pareils. Penchés sur leur cahier, la langue sortie, ils poussent leur petit crayon jaune.

Bon. Je fais comme eux. Je me penche sur mon cahier, je sors la langue et je pousse mon petit crayon jaune.

Rien ne vient.

Je lève la tête. Au fait, qui est mon plus proche voisin ?

Autour de moi, il y a Elzéar, Édouard et Adélard. Gaspard est absent.

Je me dis : « Opération délicate, Somerset. Comment choisir entre les quatre ? »

Impossible.

Elzéar est susceptible, Édouard est irascible et Adélard est trop sensible. Heureusement, Gaspard est absent.

Si j'en choisis un, c'est sûr, je fais de la peine aux trois autres.

Elzéar va devenir tout rouge. Il va tourner son pupitre face au mur et bouder le reste de la journée.

Édouard va devenir tout bleu. Il va jeter sa chaise par terre et ne pourra plus s'asseoir dessus.

Adélard va devenir tout blanc. Il va se mettre à pleurer et tous ses cahiers vont être inondés.

Gaspard, lui, ne reviendra jamais. Et s'il y a une chose que je déteste, c'est de ne pas avoir de plus proches voisins.

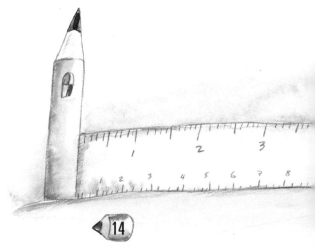

Il ne reste qu'une solution.

Je sors ma petite règle et je me précipite par terre.

– Que fais-tu, Somerset ?

– Je mesure la distance entre les pupitres, je dis. Pour trouver mon plus proche voisin.

Je me cogne la tête contre les tibias d'Elzéar. Ses pieds s'enfuient à toutes jambes sous la chaise : **cinq règles et demie...**

Je me cogne le dos contre les rotules d'Édouard, qui sont aussi pointues que le menton de ma tante Bêta : **cinq règles et trois quarts...**

Je me retrouve nez à nez avec les gros bas gris d'Adélard, qui retombent tout tristes sur ses souliers...

Coup de chance ! Le pupitre le plus près du mien, c'est celui de Gaspard. Je lève la main.

– Oui, Somerset ?

Je montre le pupitre de Gaspard.

– Il n'y a personne, je dis.

– Je le vois bien, Somerset.

– Un voisin, c'est forcément quelqu'un…

Les sourcils de monsieur Tréma s'élèvent et font deux accents circonflexes.

– Oui, Somerset. En général.

– Donc, je ne peux pas décrire… personne…

– Ce serait difficile, en effet.

Je retourne à mon pupitre, soulagé. « Somerset, je me dis, tu t'es encore sorti d'un mauvais pas. Ni Elzéar, ni Édouard, ni Adélard, ni Gaspard ne pourront t'en vouloir. »

– Tu peux prendre le voisin le plus proche de chez toi, Somerset.

« Somerset, je me dis, tu n'avais pas prévu ce mauvais pas-là. »

Tout est à refaire.

Mais là encore, j'ai un problème. Je lève la main.

– Oui, Somerset ?

– Quel voisin le plus proche de chez moi ? Celui d'en haut ? Celui d'en bas ? Celui de droite ? Celui de gauche ? Celui d'en face ? Celui d'en arrière ?

Monsieur Tréma soupire encore. Ma question est peut-être un peu compliquée.

– C'est pourtant simple, Somerset. LE plus proche voisin. Il ne peut pas y en avoir deux.

Moi, tout ce que je demande, c'est d'en trouver UN.

En haut de chez moi, il y a ma tante Delta. D'abord, ce n'est pas un voisin, c'est une voisine. Je ne sais pas si ça compte. Ensuite, ce n'est pas une voisine, c'est ma tante. Et puis elle ne voisine pas beaucoup.

En bas de chez moi, il y a la cave. Dans la cave, il y a un raton laveur. Des fois, il y est, des fois, non. Il entre et il sort. Donc, des fois, il est proche, des fois, il est loin. Pas simple du tout.

À gauche, il y a un vague terrain, sans voisin dessus. Si j'ai mentionné le voisin « de gauche » tout à l'heure, c'était seulement pour embrouiller monsieur Tréma.

À droite, il y a un garage. Les gens n'y restent pas assez longtemps pour devenir des voisins.

En arrière, il y a un grand mur. Si mon plus proche voisin est derrière, je ne le vois pas.

En face de chez moi, il y a des arbres.

Bon. Je ne suis pas plus avancé que tout à l'heure.

—Il reste une demi-heure, Somerset.

Une demi-heure, c'est bien suffisant pour décrire quelqu'un qui n'existe pas.

—Je cherche mon plus proche voisin, je dis. Il est introuvable.

Tout à coup, j'ai une idée. Je lève la main.

—Oui, Somerset ?

—Être « le plus proche », ça ne veut pas dire être « près »...

—Non, Somerset.

—Donc, ça se pourrait que mon voisin le plus proche soit loin...

– Ça se pourrait, Somerset.

Alors ?

Je regarde monsieur Tréma. Monsieur Tréma me regarde.

Alors ? ?

Alors là, j'ai un autre problème. Un problème de taille, je dirais. Un problème de la taille de monsieur Tréma. Parce que de l'autre côté du vague terrain, il y a une maison. Et dans la maison, il y a monsieur Tréma en personne.

Mais essaie donc de décrire ton plus proche voisin à ton plus proche voisin, surtout quand ce plus proche voisin-là est ton professeur.

– Au travail, Somerset.

Je me penche sur mon cahier et je commence à écrire.

Mon plus proche voisin est droit comme un i. Il a de petites lunettes rondes. Il les remonte presque toujours sur le dessus de sa tête, ce qui lui donne l'air d'un i tréma...

Je biffe les derniers mots.

D'abord, est-ce que monsieur Tréma sait qu'il ressemble à un i tréma ?

« Somerset, je me dis, c'est un piège. »

Peut-être que monsieur Tréma n'aime pas du tout les i tréma et aimerait mieux ressembler à un o ou à un y.

Ensuite, est-ce que monsieur Tréma sait qu'il est mon plus proche voisin ?

Si moi, je le sais, il doit le savoir aussi.

Et s'il le sait, il attend peut-être de voir ce que je vais écrire sur lui…

Heureusement, j'ai du flair.

Je reprends mon crayon jaune :

... ce qui lui donne
un air ~~rigolo~~ ...

Je biffe « rigolo ». Mon père dit toujours :

– Le voisin du terrain vague, le jour où il rira, les poules auront des dents.

Justement. Si monsieur Tréma ne rit pas, c'est peut-être parce qu'il n'a pas de dents et qu'il ne trouve pas ça drôle du tout.

Mais monsieur Tréma a d'autres qualités.

Sûrement.

Je regarde monsieur Tréma.

Je cherche.

Monsieur Tréma n'est pas vraiment beau. Il lui manque plusieurs cheveux. Au moins trois cent douze. Sa tête a la forme d'un œuf et ses oreilles traînent dans son cou.

— Concentre-toi sur ton travail, Somerset.

— C'est ce que je fais, je dis.

Mais monsieur Tréma a de beaux souliers noirs qui font du bruit quand il marche. « Ça ne va pas, Somerset, je me dis. Si monsieur Tréma enlève ses souliers, il n'a plus de qualité. »

Je cherche encore.

Soudain, je trouve ! La plus grande qualité de monsieur Tréma, C'EST SON CHIEN !

Un grand chien blond et doux, avec des yeux noirs et brillants comme les souliers de monsieur Tréma. Il vient me voir tous les jours. Il me lèche la joue. Il met son museau mouillé dans mon cou et je me sens tout drôle.

Mais mon père n'est pas d'accord :

—ESPÈCE DE GRAND ESCOGRIFFE DE CHIEN JAUNE ! Il vole mon journal tous les matins et laisse sa merde à la place. LA PROCHAINE FOIS QUE JE LE VOIS, JE FAIS UN MALHEUR ! ! !

La prochaine fois, c'est... demain matin.

Bon.

Mon père, qui n'est pas content, va se fâcher contre Grand Escogriffe.

Grand Escogriffe, qui ne sera pas content, va le dire à monsieur Tréma.

Monsieur Tréma, qui sera encore moins content, va prévenir la police.

Et la police, qui n'est jamais contente, va mettre mon père en prison.

« Somerset, je me dis, il faut empêcher ça ! »

Mais comment ?

J'y suis !

D'abord, je vais voler le journal de mon père AVANT Grand Escogriffe.

Ensuite, je vais ramasser les crottes de Grand Escogriffe AVANT mon père.

Seulement voilà : les crottes et le journal arrivent toujours AVANT que je me réveille.

« Somerset, je me dis, il y a sûrement un autre moyen. »

Je cherche.

Je cherche encore.

Et soudain, je trouve.

« TES MOTS, Somerset. Sers-toi de TES MOTS ! »

Alors je cherche mes mots. Je fouille dans tous les recoins de ma tête.

Tout à coup, je les vois. Ils sont tous là, alignés comme mes petits soldats de plomb.

– Il reste DIX minutes !

Dix minutes pour sauver Grand Escogriffe, alerter monsieur Tréma et sortir mon père du pétrin.

J'arrache la feuille de mon cahier
et je recommence :

Mon plus proche voisin est droit
comme un i et il connaît bien
le français. Il a de petites
lunettes rondes. Il aime mieux
les mettre sur sa tête que sur
son nez, mais il n'a pas du
tout l'air d'un i tréma.

Mon plus proche voisin a
aussi un chien. Il s'appelle
Grand Escogriffe (le chien)
et il est jaune. Il aime bien
rire, lui, et jouer des tours.
Tous les jours il vient près de
ma maison. Il laisse ~~se mer~~
ses trucs sur le terrain et
en échange, il ~~vole~~ emprunte

le journal de mon père. Mon père n'aime pas beaucoup les chiens, mais il préfère son journal. Alors, il faut que Grand Escogriffe arrête, sinon il va arriver un malheur, même si mon père est gentil. Dites à Grand Escogriffe de rapporter ses trucs machins avec lui et de laisser le journal de mon père tranquille. D'accord ? Merci.

Somerset

P.S. Dites à Grand Escogriffe qu'il peut laisser ses machins bidules sur le vague terrain à côté. Il y a plein de place.

Depuis une semaine, Grand Escogriffe ne vient plus du tout près de ma maison. Il n'y a plus aucun bidule sur le terrain. Mon père lit son journal tous les matins et il chante en prenant sa douche.

Les mots ont gagné, on dirait. Mais moi, j'ai perdu Grand Escogriffe...

Ce matin, monsieur Tréma dit :

– Une autre rédaction, les enfants ! Sur la **liberté** ! En dix lignes, dites-moi ce que vous pensez des chiens qu'on garde attachés. Vous avez une heure. Un, deux, trois. PARTEZ !

« CHOUETTE ! » je me dis.

Je me jette sur mon cahier, je sors la langue et je réaligne mes petits soldats de plomb.

Et tant pis pour le journal de mon père !

Dans la même collection

Achevé d'imprimer en août 2003
sur les presses de Imprimerie L'Empreinte inc.
à Ville Saint-Laurent (Québec)